Je t'aimerai toujours, quoi qu'il arrive...

ISBN : 978-2-0139-1328-7 – Dépôt légal février 2011 - édition 08.
Loi n° 49-956 du 16 juillet 1949 sur les publications destinées à la jeunesse.
Imprimé par Estella Graficas en Espagne.

DEBI GLIORI

Je t'aimerai toujours, quoi qu'il arrive...

Adaptation française de Marie-France Floury

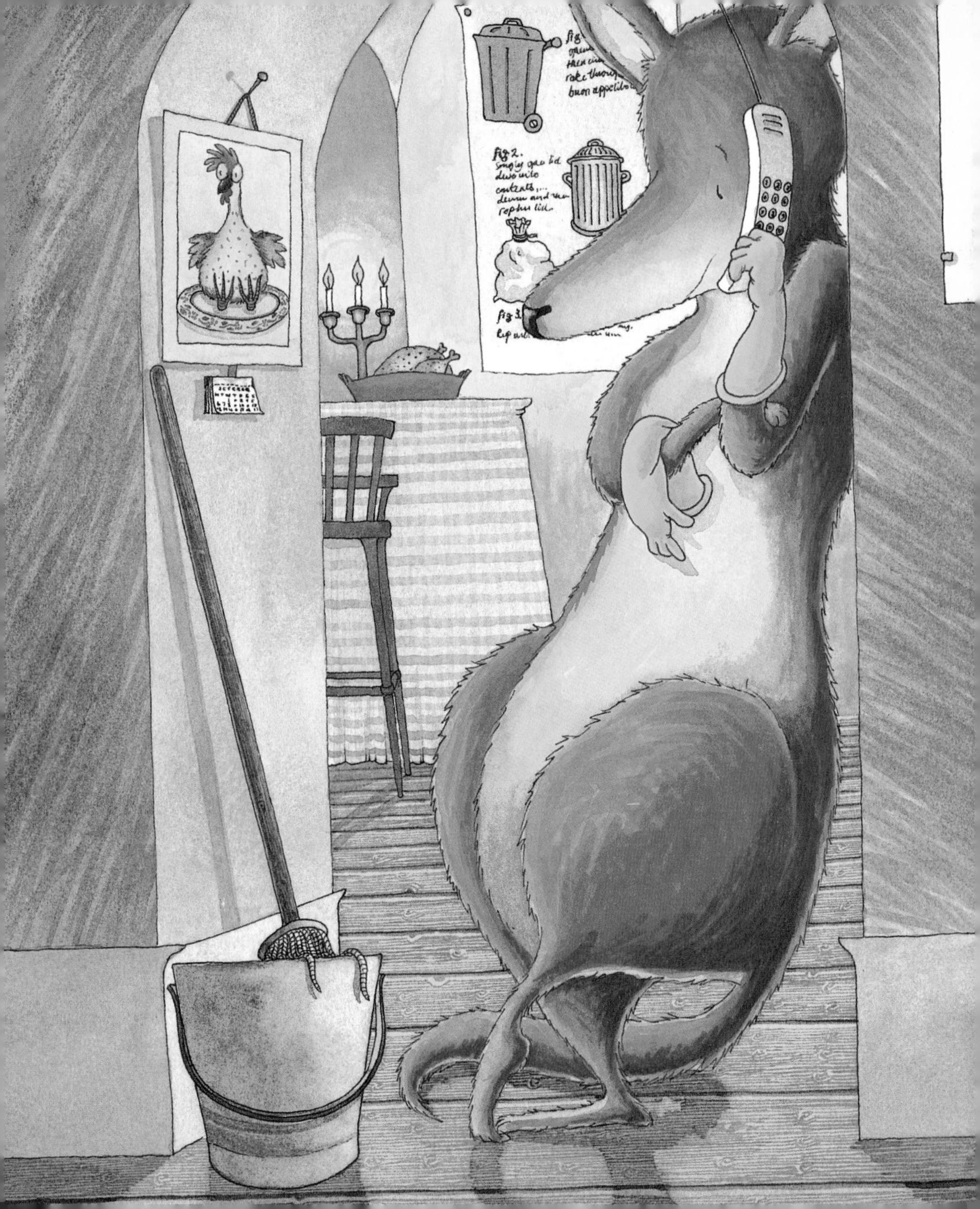

Petit Renard est de très,
très mauvaise humeur.

Cassulet de lapin
2/150

Il lance sa poule,

Bam ! Bing !

renverse les meubles,

Oh, hisse !

et Vlan !

Il râle, grogne, hurle :

« Bouh ! ».

Il casse, cogne, tape

et Splash !...

« Ouh ! là ! là ! s'écrie Maman.
Mais qu'est-ce qui t'arrive ?

– Je suis un vilain petit renard
de très mauvaise humeur,

et personne,

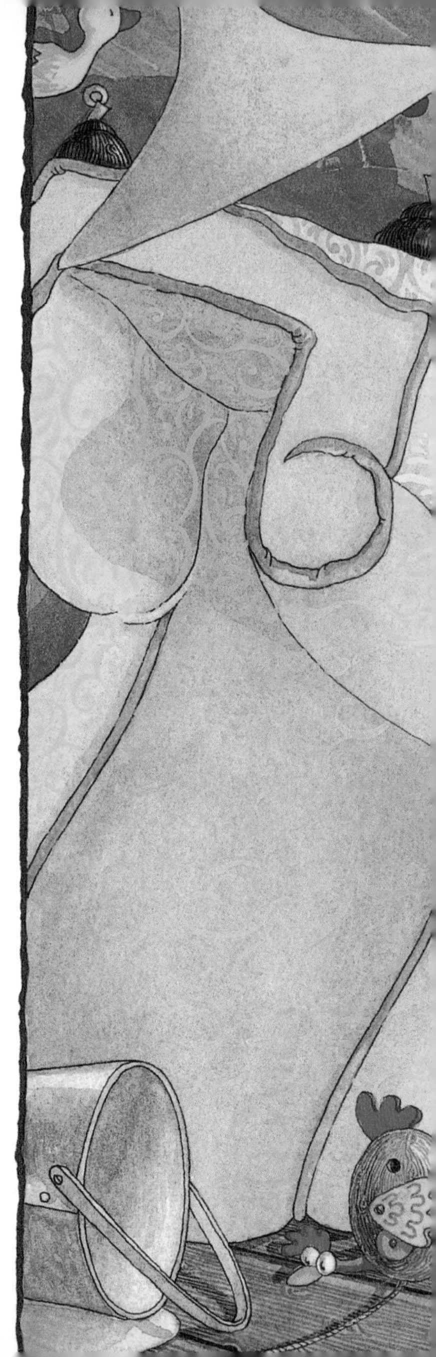

personne ne m'aime.

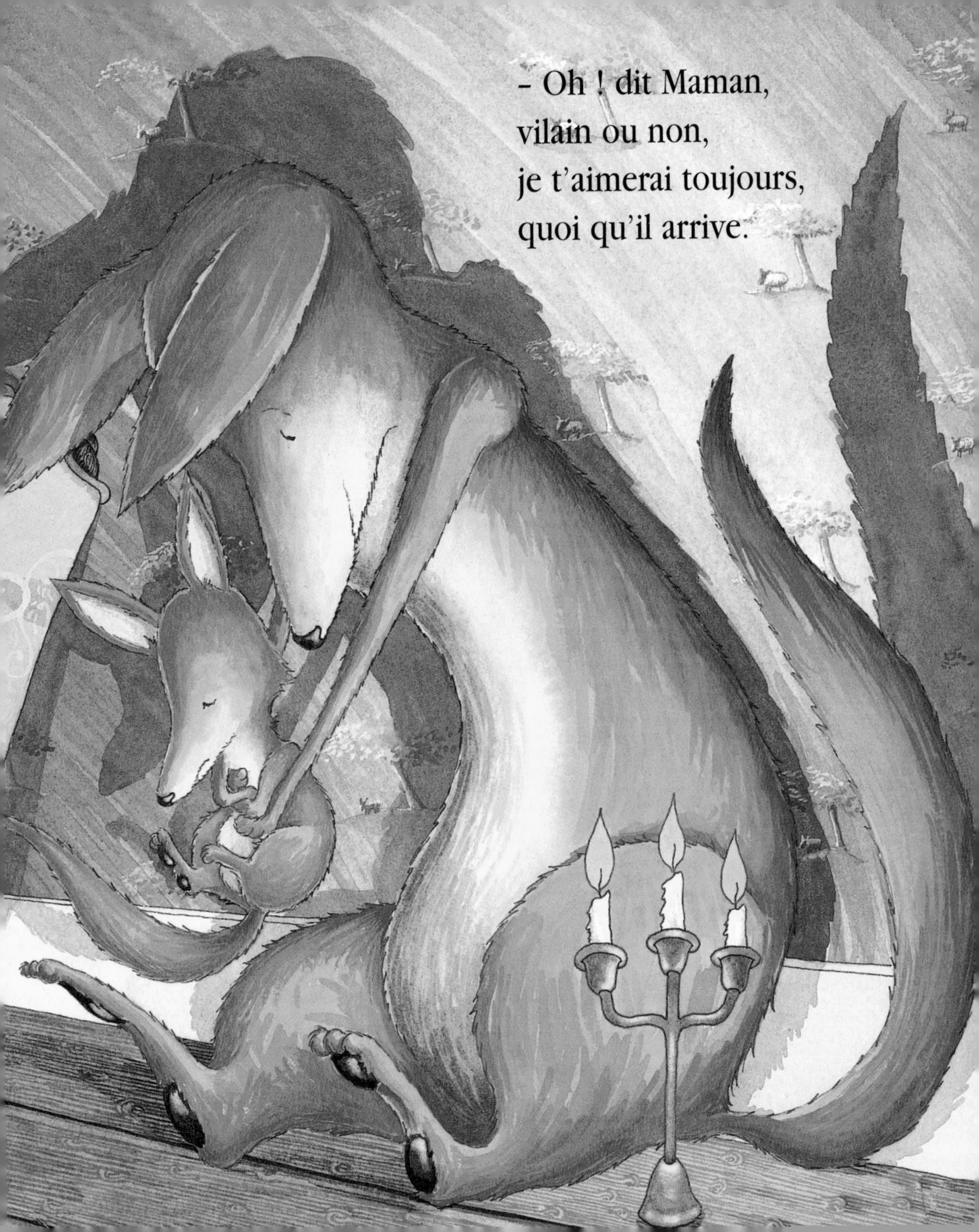

– Oh ! dit Maman,
vilain ou non,
je t'aimerai toujours,
quoi qu'il arrive.

– Et si j'étais **un ours**,
m'aimerais-tu, Maman ?
T'occuperais-tu de moi comme avant ?

– Bien sûr, répond Maman.
Ours ou non,
je t'aimerai toujours,
quoi qu'il arrive.

– Et si je devenais mouche, ou bien hanneton,

n'aimerais-tu encore, et **toujours** aussi fort ?

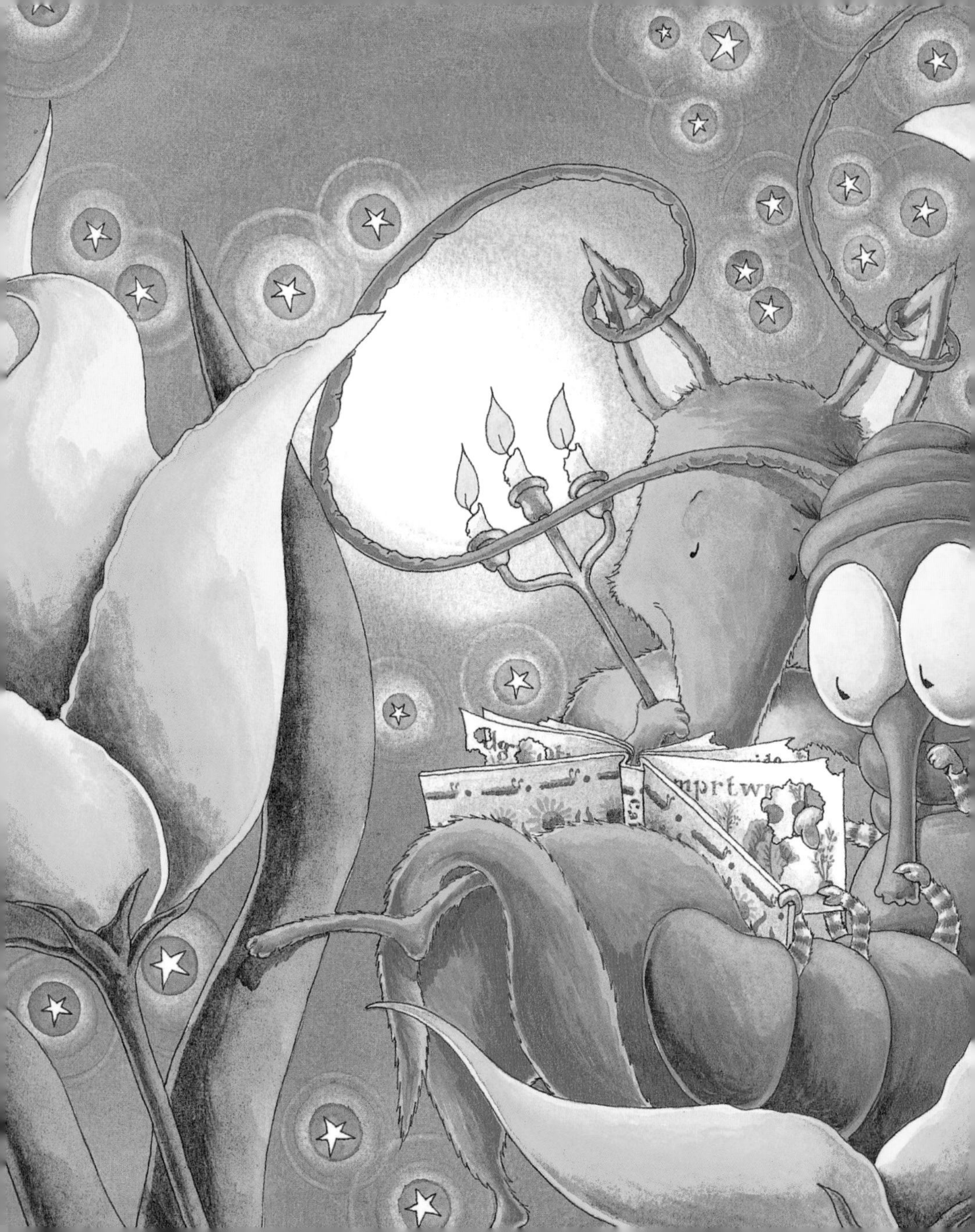

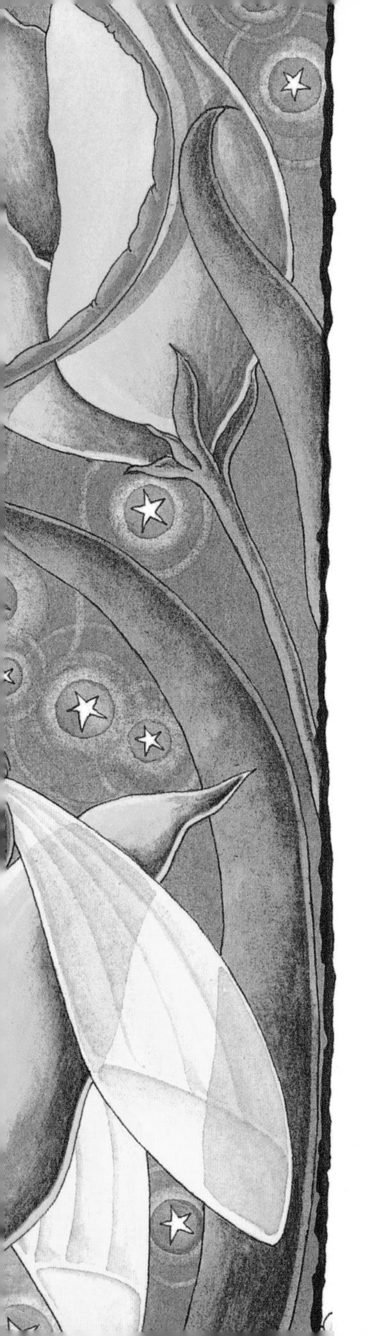

– Bien sûr, répond Maman,
hanneton ou non,
je t'aimerai toujours,
quoi qu'il arrive.

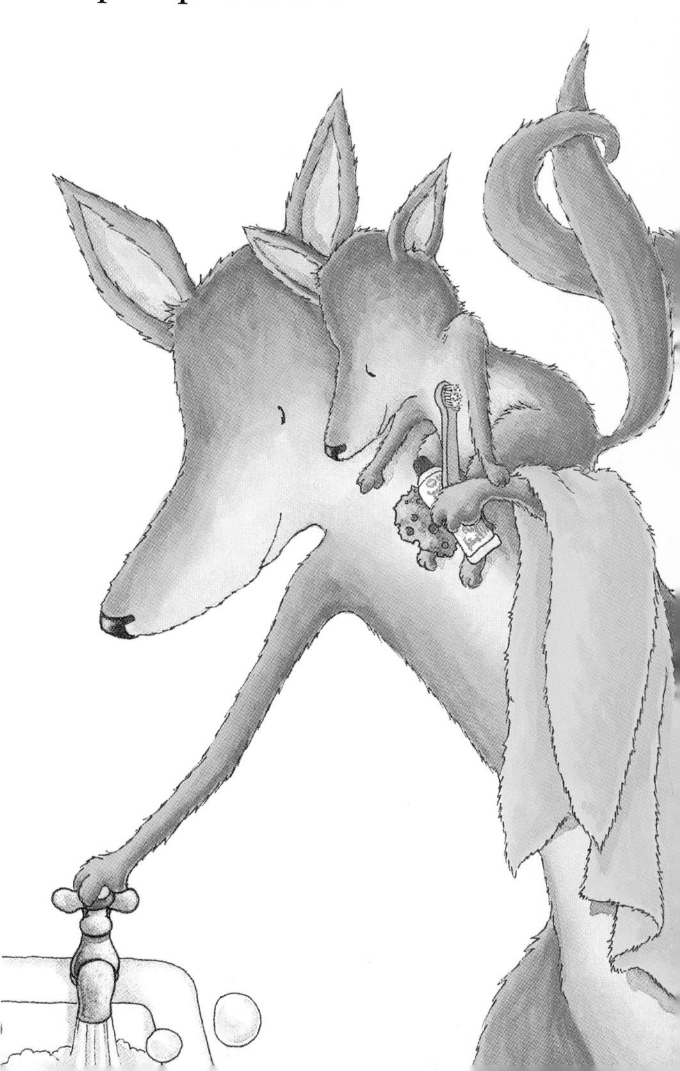

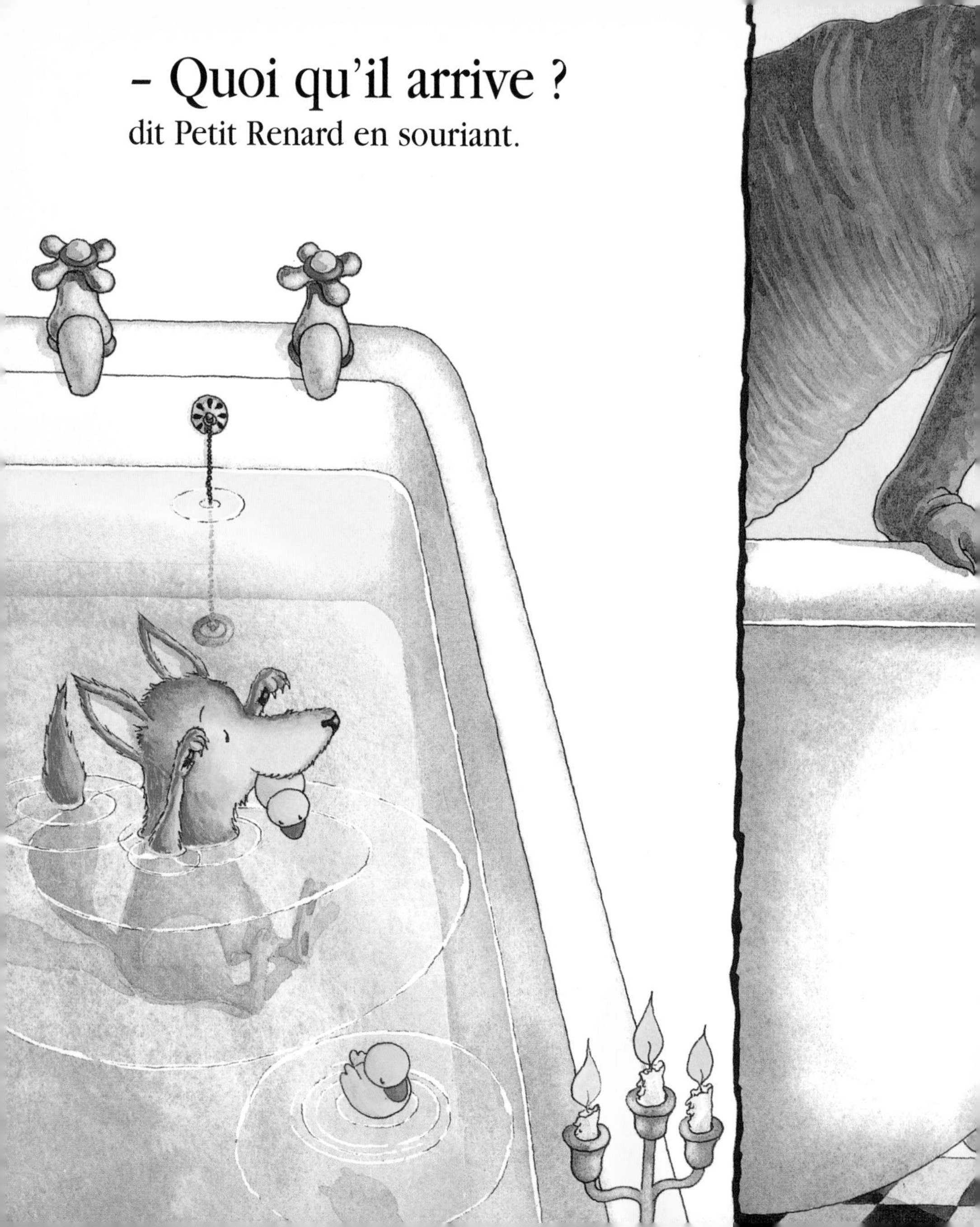

– Quoi qu'il arrive ?

dit Petit Renard en souriant.

Et si j’étais un…
crocodile ?

– Oh, ça alors ! s'écrie **Maman**.
Crocodile ou alligator,
tu seras toujours
mon petit
que j'adore ! »

Petit Renard demande encore :
« **Et si** l'amour s'abîme,
se casse ou se déchire,
pourrais-tu **le recoudre,**
le recoller, le réparer ?

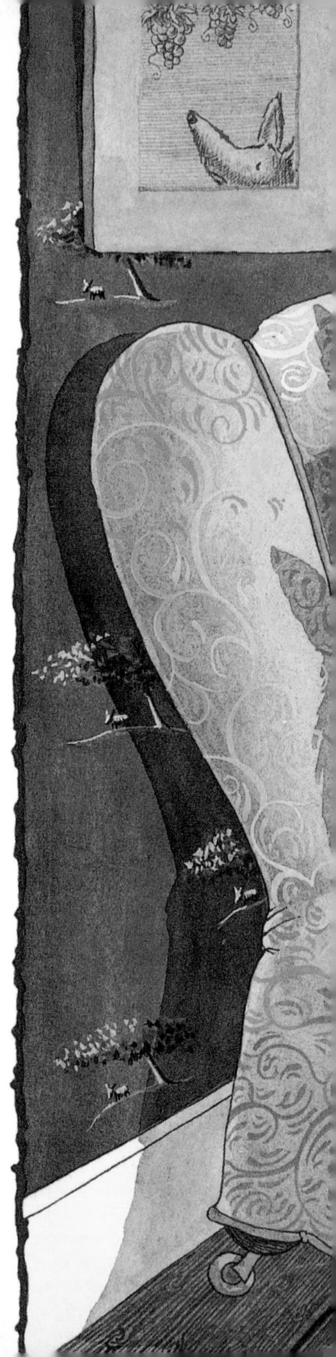

- Ouh ! là ! là ! dit Maman,
tu m'en demandes trop !
Je sais juste que
je t'aimerai toujours.

- **Mais**, que se passerait-il
si j'étais loin de toi ?
M'aimerais-tu **encore**,
penserais-tu à moi ? »

Alors Maman prend
Petit Renard dans ses bras.
« Regarde, chante-t-elle,
comme les étoiles brillent.
Pourtant certaines sont mortes
il y a longtemps déjà.
Mais elles éclairent encore le ciel, chaque nuit.

Écoute ma chanson, l'amour ne meurt jamais.
Quoi qu'il arrive, je t'aimerai... »

Les petits Gautier

1.

Il y a une maison dans ma maman

Giles Andreae, Vanessa Cabban

2.

Le Géant aux oiseaux

Ghislaine Biondi, Rébecca Dautremer

3.

Je t'aimerai toujours quoi qu'il arrive

Debi Gliori

4.

Philipok

Léon Tolstoï, Gennady Spirin

5.

Fleur d'eau

Marcelino Truong

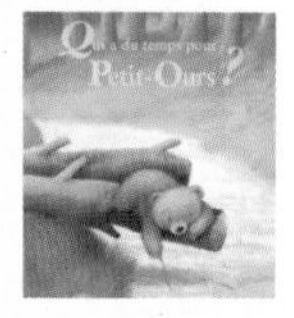

6.

Qui a du temps pour Petit-Ours ?

Ursel Scheffler, Ulises Wensell

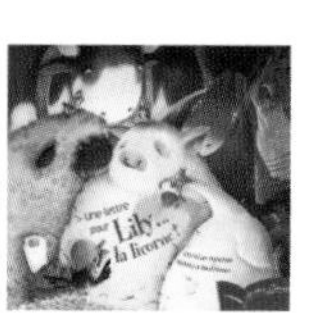

7.

Une lettre pour Lily la licorne

Christian Ponchon, Rébecca Daut

8.

La véritable histoire
de la Petite Souris

Marie-Anne Boucher, Rémi Hamo

9.

La véritable histoire
du Marchand de Sable

Marie-Anne Boucher, Rémi Hamo

10.

Cache-Lune

Éric Puybaret

11.

Marabout et bout de sorcière

Véronique Massenot, Muriel Kerb

12.

Scritch scratch

Miriam Moss, Delphine Durand